제우스조각들

제우스가 자서전을 쓰다가 멈추다

어떻게 다들 그를 태평스러운 사내로 여기지.
사실이든 아니든, 결말은 누설하지 말아야지.
'두려움'은 '손찌검'과 운이 맞나?
늙은 허리에는 아직 일말의 웅웅거림.

제우스가 올해 세금 신고를 직접 하기로 결심하다

헬레네의 시체는 전쟁의 시체에서 감한다(순익).
'승리'(조정 총계). '덕'(임대 소득으로 분류).
위증 시 그에 상응하는 처벌을 받을 것을 감수하고 나는 이 여송연을
　　검사했으며
내가 알고 믿는 바로는 동봉한 진술과 신고 내용에 따라
이것이 여송연이 아님을 신고하는 바이다.

제우스가 수년 전 여름 별장 길 건너에 살았던 한 남자를 추억하다
그는 96세의 올드 빅이라는 이름의 전직 노예였다

노예로 지내기가 그렇게나 심하게 끔찍했어요? 나는 그에게 말한다.

올드 빅이 아니라고 단언한다.

주인이 그를 몸종으로 삼아 집 안에서 일하게 해주었다.

가정식 내가 말한다.

아 세상에 그 음식들 올드 빅이 말한다.

뭐가 힘들었어요.

뭐가 힘들었냐면 그들이 내 어머니를 팔던 날 어머니가

나와 눈이 마주치지 않도록 오른쪽도 왼쪽도 보지 않고 무릎 아기를 안고
　　나갔을 때.

무릎 아기가 뭐예요 내가 말한다.

그들이 여자들을 팔 때는

마당 아기가 아니라 무릎 아기를 가져가게 해. 내 기억에

그날은 바람이 많은 날이었어.

어디선가 미친 것처럼 기둥에 매인 사슬 절그렁거리는 소리.

제우스의 생일

춥고 맑다.

세찬 푸른 바람에 버찌들이 들썩거린다.

그의 아내들 모두가 나무들처럼 의기양양하게 당도한다. 선물은 나중에 올
　　것이다.

몇몇 아내들에겐 여분의 팔이 달렸다.

여분의 선물.

제우스가 자기 경제이론(아마추어의 용어)의 윤곽을 그리다

'전쟁(war)'과 '창녀(whore)'의 운을 맞춰라.
수중에 84달러가 있다고 해보자.
그녀는 84달러를 쓰게 할 것이다.
수중에 840억 달러가 있다고 해보자.
840억 달러를 쓰게 할 것이다.
자유무역.

제우스가 로버트 매플소프(무명)가 찍은 사진 아홉 장의 목록과
설명(영어)이 든 봉투(빨강)가 든 봉투(하양)를 200만 가구에 보내다

당신이 낸 세금이 들어간 비열한 포화가 밤낮을 가리지 않고 포문을 열겠다고
　　위협한다!
내가 당신에게 비열한 포화 자체를 보낸 적이 없다는 걸 인지하기 바란다!
동성애자들은 늘 웅얼거리지만 그들의 안장은 은이다!
이 봉투를 열지 마라 생에 신물이 날 것이다!
일부 단어는 사람들이 번역해 쓰지 않는 프랑스어로 적혀 있다!

제우스향유 I

그의 삶을 지배하는 것은 수많은 공포였다.
분류해봐요 심리치료사가 말했다.
제우스는 지의류를 적이라 부르기로 한다.
강의 님프들이 신음한다(안녕 이끼 낀
강둑들아). 제우스는
강의 님프 모두를 우유병 하나에 집어넣었다.

제우스향유 II

지의류 규제법을 강화할 수 있습니까? 사람들이 묻는다.
제우스는 빙긋 웃는다.
그는 이 단순한 사람들을 자유롭게 해줄 것이다.
스타킹 신은 발로 그는 번개 경사로를 미끄러져 내려온다.

제우스가 죽음의 수용소를 방문하다

그가 기억하는 것은 귀 뼈를 따라 스치는 작은 소리.
그는 들판을 응시한다. 수도꼭지를 응시한다.
그를 안내하는 안내자는 26년 동안 이곳에서 관람 안내를 하고 있다.
제우스는 머리카락에 관해 머리카락 냄새에 관해 묻는다.
그녀의 대답은 그에게 닿기도 전에 말라서 사라진다.
왜 당신의 팔은 그는 물어보고 싶다. 왜 당신의 팔 끝은 빛의 장갑인가요?
그리고 왜 하나뿐인가요?
그 후에 근처 마을에서 푸진 점심 식사와 계산서를 놓고 벌어진 논쟁.
알고 보니, 송어는 무게 단위로 가격이 매겨진다.

제우섹스

제우스에게 세상에 다른 건 아무것도 없다.
그는 하늘이다.
24시간마다 밤이 그의 품으로 뛰어든다.
그거 재미있어요?
대답해줄 수 없어.
이스트 런던의 공영 주택단지 뒤에서 황홀해진
소녀가 묻는다
그날 저녁 그녀의 아버지는 정화의 정당성을 입증하기 위해
소녀를 불태운다.

제우스가 자신의 사후를 숙고하다

유리관(棺)의 미학은 명확하지.
모델들은(백설공주, 알렉산더, 레닌) 좀 애매해.
이걸 어떻게 고정시킨다?

제우스와 연구기금

이제는 마을에서 의사를 구하기가 힘들다 대부분은
저 아래 호수 근처에서 살아 있는 희생자들을 고문하고 있지.
너도 알지
거기 아래에서 껑충 건너뛰고 풀쩍 뛰어오르며 피부 과학 없는
사람들을 신중하게 피하는 분리된 반구들을.
열두 가랑이의 헛간
비명의 냉장고
썩 괜찮은 카페테리아.
이거 크리스마스캐럴처럼 들려?
크리스마스에 뭐 받고 싶어?
헤엄치던 사람들이
비가 내리기 시작하면 지르는 고함.

휴(休)

제우스의 호랑이들이 변호사들 사이에 차가운 금빛으로 누웠다.
환영하는 의미에서 지의류와의 전쟁은 하루 휴전.
다만 나무들에서 피를 닦아내면서 비명과 함께 단검을 삼키는
여자들은 제외하고.

제우스가스

올림포스로의 이주는 허용되지 않지만 그렇다면 누가 나무들에서 피를 닦아낼
   것인가?
제우스가 아폴론의 의견을 묻는다.
'손가락마디뼈가 있는 어리석은 아이들과 서약을 한 남자들' 여느 때와 같은
아폴론의 합법적 시각.
제우스는 자기 창자의 의견을 묻는다.
'아.'
그때부터 여자들이 국경을 건널 때마다
제우스가 커다란 푸른 눈보라를 뀐다.
큰 가지들이 요동치고 FBI는 집에 머문다.
여자들 대부분은 통행로에서 죽지만 그러지 않은 사람은 누구나
일하고 싶어한다.
그들은 소음도 내지 않고 일한다.

제우스후(後)

손님이 기다린다, 그가 벌써 도착했다.
우리 공손해지도록 하자. 곧
밤을 견뎌 살아남으려면 그의 체온이 필요해지리라.